Du même auteur

Loi 49956 du 16 juillet 1949,
sur les publications destinées à la jeunesse.
Dépôt légal : décembre 2010
ISBN 978-2-211-08295-2

Mise en pages : *Architexte*, Bruxelles
Photogravure : *Media Process*, Bruxelles
Imprimé en Belgique par *Daneels*

Mario Ramos

LOUP, LOUP, Y ES-TU ?

PASTEL
l'école des loisirs

Attention ! C'est parti !

Promenons-nous dans les bois
Tant que le loup n'y est pas.
Loup, loup, y es-tu ?
Loup, loup, que fais-tu ?

Silence ! Je dors !

Hou ! Le gros paresseux, il dort encore…
Debout ! Grosse marmotte !

Promenons-nous dans les bois
Tant que le loup n'y est pas.
Loup, loup, y es-tu ?
Loup, loup, que fais-tu ?

Ça va, ça va,
les guignols !
Je me lève !

Aaah, enfin ! Monsieur se décide
à bouger son popotin.

Promenons-nous dans les bois
Tant que le loup n'y est pas.
Loup, loup, y es-tu ?
Loup, loup, que fais-tu ?

Je prends ma douche !

Excellente idée !
Et n'oublie pas de bien nettoyer
les aisselles, dans les oreilles
et entre les orteils.

Promenons-nous dans les bois
Tant que le loup n'y est pas.
Loup, loup, y es-tu ?
Loup, loup, que fais-tu ?

Je me brosse les dents !

C'est cela ! Brosse, mon ami, brosse.
Et n'oublie pas le dentifrice car il faut que ça brille !

Promenons-nous dans les bois
Tant que le loup n'y est pas.
Loup, loup, y es-tu ?
Loup, loup, que fais-tu ?

Je mets mon caleçon !

Hou, hou, hou ! Son caleçon !
Le petit blanc à carreaux rouges ?
Le rose bonbon à pois verts ?
Ou le jaune à lignes mauves ?

Promenons-nous dans les bois
Tant que le loup n'y est pas.
Loup, loup, y es-tu ?
Loup, loup, que fais-tu ?

Je mets mes chaussettes,
je passe mon pantalon,
j'enfile ma chemise,
je noue ma cravate,
je chausse mes bottes,
je prends mon manteau
et...

Et je vous mange tout crus !

Ha! Ha! Ha! Ha! Ha!